La capture
de Vipélierre

© Hachette Livre, 2013 pour la présente édition. Tous droits réservés.
Novélisation : Natacha Godeau.
Conception graphique : Valérie Gibert & Philippe Sedletzki.

Hachette Livre, 43 quai de Grenelle 75015 Paris.

NOIR & BLANC

La capture
de Vipélierre

hachette
JEUNESSE

Pikachu

Ce Pokémon de type Électrik est extraordinaire ! Non seulement il est très malin, mais il est aussi extrêmement gentil, comme Sacha. D'ailleurs, il ne quitte jamais son Dresseur : on peut même dire que c'est son meilleur ami !

Sacha

Sacha vient de Bourg Palette, un petit village dans la région de Kanto. Il parcourt le monde pour accomplir son rêve : devenir un Maître Pokémon. Mais avant ça, il doit s'entraîner à devenir le meilleur Dresseur ! Et il est sur la bonne voie : c'est un garçon tellement gentil que tout le monde veut devenir son ami, même les Pokémon qu'il rencontre !

Rachid

Rachid est un expert en Pokémon : il connaît presque tout à leur sujet. Pourtant, il n'en attrape pas beaucoup ! En réalité, ce qui l'intéresse vraiment, c'est de rire avec ses amis. Et encore plus de leur faire des petits plats…

Iris

Iris n'a peur de rien, et certainement pas de dire ce qu'elle pense ! Dès qu'elle trouve quelque chose mignon, la jeune fille le veut… surtout si c'est un Pokémon !

Feuillajou

Tout comme son Dresseur Rachid, Feuillajou est gentil et toujours prêt à aider ceux qu'il apprécie. Ce Pokémon Singe Herbe de type Plante peut en guérir d'autres grâce aux feuilles qui poussent sur sa tête.

Coupenotte

Coupenotte est un Pokémon de type Dragon. Il suit Iris partout où elle va. C'est un Pokémon qui fait tout son possible pour aider les autres.

La Team Rocket

Jessie,
James et le Pokémon
parlant Miaouss forment un trio
diabolique. Ils passent leur temps
à essayer de voler des Pokémon !
Cette fois, c'est leur chef, Giovanni,
qui leur a donné la mission d'attraper
le plus de Pokémon possible à Unys
pour monter une armée...

Reshiram

Zekrom et
Reshiram sont
des Pokémon légendaires.
Uniques en leur genre, ils sont tellement
puissants qu'ils peuvent bouleverser
la météo ! Lorsque Reshiram libère
sa chaleur et que Zekrom produit
de l'électricité, il vaut mieux
s'éloigner !

Zekrom

Un invité inattendu

Sacha se rend à Maillard avec ses amis Rachid et Iris. Comme il vient de remporter son premier combat d'Arène de la région d'Unys, il marche en souriant. Maintenant qu'il a obtenu son Badge Triple, il se sent prêt à gagner contre n'importe quel adversaire ! Mais la route est longue pour atteindre l'Arène de Maillard… Une pause déjeuner s'impose !

— Oh là là, j'ai l'estomac qui gargouille ! Il est sûrement plus de midi, non ?

— Pika-pika ! approuve Pikachu, perché sur son épaule.

Lui aussi a très faim. Iris propose au groupe :

— On n'a qu'à s'arrêter dans cette clairière. Je m'occupe de préparer à manger, d'accord ?

La fillette s'éloigne. Rachid et Sacha attendent son retour

en installant une table de for-
tune sur une vieille souche
d'arbre. Enfin, Iris revient, les
bras chargés de fruits.

— Le repas est servi !

— Chouette ! Des fruits,
j'adore ça ! se réjouit Sacha.

Pikachu hoche la tête pour
confirmer les paroles de son

maître. Coupenotte, le Pokémon Crocs d'Iris, se jette sur l'un des fruits. Sa Dresseuse éclate de rire.

— Pas de panique, tout le monde aura sa part !

Pourtant, Rachid fronce les sourcils.

— Bien sûr, ces fruits sont délicieux, commente-t-il. Seulement, on pourrait peut-être les améliorer…

Il sort alors de sa sacoche quelques ingrédients, allume un réchaud, et en moins de dix minutes, il confectionne d'appétissants beignets sucrés. Mort de faim, Sacha en prend deux.

— Miam, c'est un vrai régal ! s'exclame-t-il en y croquant à pleines dents.

—J'oublie toujours qu'en plus d'être Connaisseur Pokémon, tu es un vrai chef cuisinier, Rachid, renchérit Iris. On a bien fait de t'emmener en voyage avec nous !

— Content que ma cuisine vous plaise, les amis. N'hésitez pas, servez-vous : il reste un plat entier de beignets sur le feu !

— Super, je vais le chercher.

Sacha se lève, se précipite vers le réchaud… et soupire de déception.

— Oh non ! Le plat est vide !

Rachid secoue la tête.

— Je ne comprends pas… Il y avait encore une bonne dizaine de beignets, je suis formel !

— Bizarre, murmure Iris.

À ces mots, Coupenotte s'agite sur son épaule. Elle essaie de le calmer.

— Ne t'inquiète pas, je te donnerai des fruits.

Mais le Pokémon insiste :

— Coupe-coupe !

Il désigne de grandes herbes en bordure de clairière. Quelque chose les a fait bouger ! Iris sursaute.

— Regardez, on dirait que quelqu'un s'enfuit vers la forêt !

— Ce voleur de déjeuner va apprendre de quel bois je me chauffe ! s'exclame Sacha en s'élançant à sa poursuite avec Pikachu.

Il se fraie un chemin parmi les hautes herbes en avançant discrètement à quatre pattes, pour ne pas se faire repérer. Et au détour d'un bosquet...

— Ça alors ! Un Vipélierre !

Le Pokémon Serpenterbe se tient debout sur un rocher et

déguste un beignet. Sacha n'en revient pas : quelle chance, Vipélierre est l'un des trois Pokémon de départ de la région d'Unys ; le seul qui lui manque encore !

— Tu sais quoi, Pikachu ? chuchote le garçon à l'oreille de son compagnon. Ce Vipélierre a un sacré culot de s'inviter d'office à notre déjeuner… mais c'est l'occasion ou jamais de l'attraper !

Coup de foudre !

Sacha brandit sa Poké Ball et la jette sur le Vipélierre qui y entre docilement... avant d'en ressortir brusquement avec un air de défi.

— Ça alors, il se moque de moi ! s'écrie le garçon. Eh bien, ça ne se passera pas comme ça. Ce Pokémon est un type Plante extrêmement rapide, et je deviendrai son Dresseur !

Sauf que Vipélierre ne l'entend pas de cette oreille et s'échappe à nouveau ! Sans perdre une seconde, Sacha lui emboîte le pas.

Il finit par le retrouver au détour d'un buisson, où le gourmand termine son beignet, comme si de rien n'était.

— Tu es malin, Vipélierre, seulement tu n'es pas le seul ! Pikachu, à toi de jouer, commence par Vive-Attaque !

Le Pokémon jaune fonce à une vitesse fulgurante sur son adversaire. Malgré l'effet de surprise, celui-ci esquive cependant sans difficulté. Il bondit et atterrit calmement plus loin, ne prenant même pas la peine de se sauver. Il redresse le museau, hautain. Sacha fronce les sourcils.

— Tu es décidément un combattant très doué. Mais ça ne me décourage pas, bien au contraire. Pikachu, utilise Tonnerre !

Le Pokémon Souris se concentre. Des éclairs surgissent de son pelage. Vipélierre se met alors à tourner

gracieusement sur lui-même en faisant les yeux doux… et Pikachu annule son attaque. Il rougit, vacille sur ses pattes et sourit niaisement. Sacha écarquille les yeux.

— Pikachu ! Qu'est-ce qui t'arrive, mon vieux ?

— C'est le coup de foudre, répond Iris en le rejoignant avec Rachid.

— Comment ça ?

— Il est victime d'Attraction, explique Rachid. Cette attaque Pokémon séduit l'adversaire au point de lui ôter toute envie de se battre. En d'autres termes,

Pikachu est tombé amoureux de Vipélierre !

Iris hausse les épaules.

— Tu ne connaissais pas Attraction, Sacha ? Ma parole, tu as encore plein de choses à apprendre !

Là-dessus, Vipélierre lance Fouet Lianes contre Pikachu, qui reprend enfin ses esprits.

Sacha court le protéger en le serrant dans ses bras. Sans explication, le Pokémon Serpenterbe abandonne alors tout à coup la bataille. Il tourbillonne sur place, et disparaît.

— Ce Vipélierre est fabuleux ! s'exclame Sacha, abasourdi.

— *Cette* Vipélierre, corrige Iris. Réfléchis un peu, voyons : c'est une femelle, puisque Attraction a fonctionné sur ton Pikachu…

Rachid ajoute :

— Ses capacités de combat sont d'un niveau exceptionnel.

Je n'avais encore jamais rencontré de type Plante aussi performant à l'état sauvage.

— Je parie qu'elle n'est pas complètement sauvage, note Iris. Les Vipélierre sont connus pour leur grande intelligence, et on raconte que, si leur Dresseur ne se montre pas à la hauteur, ils n'hésitent pas à le quitter.

— Tu veux dire que cette Vipélierre aurait déjà eu un Dresseur ?

— J'en suis certaine.

Le jeune garçon se mord la lèvre. Il voudrait tellement

capturer Vipélierre et l'entraîner comme il le faut avant
de se présenter à l'Arène de
Maillard…

— Poichigeon, je te choisis !
déclare-t-il finalement.

Et il jette une Poké Ball dont
le Pokémon Tipigeon s'envole
en roucoulant.

— Retrouve la trace de Vipélierre ! ordonne Sacha avec détermination.

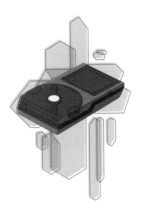

Chapitre 3

Sacha n'abandonne jamais !

Vipélierre sautille de pierre
en pierre. Elle atteint bientôt
le sommet de la colline où elle
s'allonge un moment pour se
reposer. Elle repense à la façon
dont Sacha a protégé Pikachu
et elle pousse un long soupir.

— Vipé-vipé…

Un Dresseur aussi dévoué envers ses Pokémon, c'est très rare. Secrètement, Vipélierre envie Pikachu.

Elle commence à s'endormir, lorsque Poichigeon se met à tournoyer dans le ciel au-dessus de sa tête. Il a réussi à la

repérer et repart à tire-d'aile prévenir Sacha et ses amis, qui se trouvent un peu plus loin sur le chemin.

— Poichigeon ! appelle le garçon. Tu as vu Vipélierre ? Conduis-nous à elle !

Ils le suivent en courant jusqu'au pied de la colline. Réveillée par le bruit, Vipélierre aperçoit Poichigeon. Comprenant immédiatement ce qui se passe, elle se rend au bord du précipice afin d'en avoir le cœur net. Elle baisse la tête : Sacha et Pikachu s'apprêtent à grimper pour la rejoindre !

— Vipélierre, j'aimerais t'affronter de nouveau, réclame le garçon.

Elle n'a pas le temps de réagir : Moustillon surgit tout seul de sa Poké Ball.

— Tiens ! s'étonne le Dresseur. Toi, j'ai l'impression que tu veux te battre contre Vipélierre…

— Mousti-mousti, confirme le courageux Pokémon Loutre.

Sacha sourit.

— Eh bien, pourquoi

pas ? Moustillon, je te choisis ! Mais il faut d'abord escalader la colline…

Cependant, Vipélierre ne semble pas d'humeur à accepter le combat. Résolue à les empêcher de monter jusqu'au sommet, elle provoque un éboulis, envoyant une pluie de cailloux sur ses poursuivants.

— Si tu crois qu'on va renoncer aussi facilement, tu te trompes ! se fâche Sacha.

Le danger passé, il reprend son ascension et, moins de deux minutes après, lui et ses

Pokémon se dressent face à Vipélierre, surprise.

— Cette fois, tu ne m'échapperas pas ! Moustillon, utilise Pistolet à O !

Aussitôt, le Pokémon Loutre crache un puissant jet d'eau en direction de son adversaire.

Cette dernière évite adroite-
ment le coup, quand Iris et
Rachid arrivent. La fillette
s'étonne :

— Tu es fou, Sacha ! Un type
Eau ne fait pas le poids contre
un type Plante.

— À mon avis, Moustillon a
insisté pour se battre, devine
Rachid. Et je trouve que c'est
bien de le laisser tenter sa
chance.

Vipélierre s'apprête à lancer
Fouet Lianes. Plus vif que
l'éclair, Moustillon empoigne
son coupillage et pare l'attaque. Sacha le félicite :

— Bravo, Moustillon !
Maintenant, emploie Coqui-
lame !

Hélas, Vipélierre dégaine sa
botte secrète : elle pirouette en
battant des paupières… l'effet
est immédiat : Moustillon rougit, des cœurs plein les yeux !

— Oh non, encore Attrac-
tion !

Tandis que Sacha s'empresse de replacer le Poké-mon Loutre à l'abri dans sa Poké Ball, Vipélierre en profite pour se sauver.

— Reviens ici tout de suite ! gronde le garçon.

Il s'élance à ses trousses en ajoutant :

— Toi et moi, on n'en a pas terminé !

— C'est incroyable : Sacha n'abandonne jamais ! rouspète Iris, les poings sur les hanches.

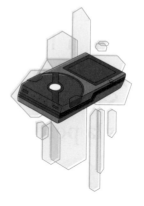

Chapitre 4

Poichigeon s'en mêle

Vipélierre s'enfuit dans la forêt. Elle se cache parmi les arbres, bondit de branche en branche, bien à l'abri sous le feuillage épais. Plus déterminé que jamais, Sacha parvient pourtant à ne pas la perdre de vue.

— Vite, Pikachu, grimpe sur mon épaule !

S'agrippant à une liane, il se balance dans les airs à la poursuite du Pokémon de type Plante. Rusée, Vipélierre décide de changer de stratégie : elle plonge dans le vide et atterrit sur un immense nénuphar, au milieu d'une mare boueuse. Sacha l'avertit :

— Attention ! Ne reste pas là, ce sont des sables mouvants !

Mais la liane cède sous le poids du garçon, qui tombe droit sur le nénuphar. Heureusement pour elle, Vipélierre saute sur le rivage juste avant de recevoir ses poursuivants sur la tête !

— On s'enfonce, Pikachu ! panique Sacha tandis que les sables mouvants les engloutissent lentement. Ne bouge surtout pas, je vais nous sortir de là.

— Ou tu peux aussi compter sur notre aide !

Le jeune Dresseur reconnaît la voix d'Iris qui vient d'arriver à la mare, suivie de Rachid. Elle continue :

— Ça t'apprendra à partir en courant sans nous attendre ! Tiens, attrape !

Elle lui jette une liane pendant que Rachid précise :

— Cramponne-toi, on va te tirer jusqu'à la berge.

Sacha obéit, Pikachu perché sur les épaules.

Bientôt, tous deux regagnent la terre ferme.

— Ouf, merci les amis ! C'était moins une !

Tapie dans les roseaux sur la rive d'en face, Vipélierre les observe en fronçant le museau. Rassurée qu'ils soient sains et saufs, elle s'éloigne sans que personne la voie. Iris reprend :

— J'espère que ça te servira de leçon, Sacha. Cette Vipélierre est plus forte que toi, admets-le une fois pour toutes.

— Pas question ! proteste-t-il. J'ai absolument besoin d'un Pokémon aussi habile dans mon équipe !

Et ni une, ni deux, Sacha repart comme une flèche sur la piste du Pokémon Serpenterbe. Il la retrouve peu après

au bord d'une rivière où il se rafraîchit tranquillement.

— Vipélierre, je te défie ! annonce-t-il.

Sur ces paroles, il brandit une Poké Ball en annonçant :

— Gruikui, je te choisis ! Utilise Flammèche !

Un souffle brûlant jaillit du groin du Pokémon Cochon Feu. Vipélierre esquive, ripostant par une attaque Attraction en règle. Ensuite, elle redresse le menton d'un air très fier. Sacha soupire :

— Inutile d'insister, Gruikui est aveuglé par l'amour !

Il récupère donc son Pokémon, mais ne se résigne pas pour autant.

— Le pouvoir de séduction de cette Vipélierre a forcément ses limites, réfléchit-il à haute voix.

— Dommage pour Gruikui, regrette Rachid. Il aurait pu

faire des étincelles, opposé à un Pokémon Serpenterbe. C'était une combinaison idéale !

— Sauf qu'il a succombé au charme de son adversaire, constate Iris d'un ton moqueur. Vous êtes tous les mêmes, les garçons !

Sacha l'ignore.

— Je n'ai pas dit mon dernier mot. Pas vrai, Pikachu ?

— Pika-pika !

— Peut-être qu'Attraction ne fera pas effet sur toi une deuxième fois ? Qu'en penses-tu : tu es prêt à

affronter de nouveau Vipélierre ?

Pikachu n'a pas le temps de
répondre : Poichigeon vire-
volte au-dessus d'eux en roucoulant à tue-tête.

— Comment ? s'étonne
Sacha. Tu veux combattre à
ton tour, Poichigeon ?

Chapitre 5

Le cinquième Pokémon

Sacha n'hésite pas long-
temps.

— Pikachu, on va laisser Poichigeon affronter Vipélierre.
D'accord ?

— Pika-pika !

Iris n'en croit pas ses oreilles.

— Poichigeon est beaucoup trop petit, c'est ridicule !

— Au contraire, corrige Rachid. Un Pokémon de type Vol a généralement l'avantage sur un type Plante.

— À condition qu'il résiste à Attraction, murmure la fillette, perplexe.

Sacha lève la main et ordonne :

— Poichigeon, Tornade !

Le Pokémon Tipigeon se met à battre des ailes, vite, de plus en plus vite, afin d'envoyer de terribles rafales de vent qui déstabilisent Vipélierre.

— Et maintenant, Vive-Attaque, vas-y ! encourage Sacha.

Poichigeon charge en direction de son adversaire, quand celle-ci déclenche subitement Attraction. Tout le monde retient son souffle… Un éclair rose scintille autour du Pokémon Tipigeon… qui demeure insensible à l'attaque.

— Il n'a rien ressenti ! s'écrie
Iris.

— Cela signifie que Poichigeon est une femelle, elle
aussi ! conclut Rachid. Bravo,
Sacha ! Super tactique !

— Désolé de vous décevoir,
les amis, avoue-t-il, gêné, c'est
du pur hasard : j'ignorais que

mon Poichigeon était une femelle. Sinon, je vous assure que je l'aurais choisie plus tôt !

Iris hausse les épaules.

— De toute façon, le duel n'est pas fini. Vipélierre possède d'autres attaques. Tu ferais mieux de te concentrer un peu, Sacha !

Le Pokémon Serpenterbe vient justement de lancer Phytomixeur. Heureusement, Poichigeon l'évite avant d'être pris dans le tourbillon de feuilles tranchantes !

— Utilise encore Tornade, suivi de Tranch'Air ! ordonne Sacha.

Cette fois, le double coup surprend Vipélierre.

— Dépêche-toi, Poichigeon, Vive-Attaque ! s'époumone le Dresseur.

Le Pokémon Tipigeon fonce sur son adversaire à demi assommée. Le résultat est sans appel. Vipélierre, étourdie, s'écroule à terre, et Sacha court vers elle afin de la capturer grâce à une Poké Ball. Mais la joie du garçon est de courte durée : la Vipélierre s'échappe avant même qu'il ne l'atteigne !

— Poichigeon, recommence le combo !

Le Pokémon de type Vol lance alors Vive-Attaque. Vipélierre riposte par Fouet Lianes. Poichigeon esquive, puis enchaîne avec Tranch'Air, et finalement, Vipélierre, trop affaiblie pour parer cette puissante attaque, rentre dans la Poké Ball !

— Fantastique ! triomphe Sacha. J'ai mon cinquième Pokémon !

À ces paroles, Vipélierre surgit de sa Poké Ball en souriant d'un air satisfait. Elle est enchantée d'avoir trouvé un Dresseur à sa hauteur ! Sacha aussi est ravi.

— Bienvenue dans mon équipe, Vipélierre. Tu as un talent incroyable ! Avec toi en renfort de Moustillon,

Gruikui, Poichigeon et Pikachu, pas de doute : je remporterai la Ligue Pokémon de la région d'Unys !

— Commence par décrocher le Badge de l'Arène de Maillard, pouffe Iris avec malice.

— D'ailleurs, il serait grand temps de se remettre en route ! remarque Rachid.

Sacha approuve d'un hochement de tête. Avant de partir, il met Vipélierre en garde :

— La Team Rocket nous suit partout. Ces bandits ne pensent qu'à voler les meilleurs Pokémon de la région. Méfie-toi d'eux, surtout !

Vipélierre fronce le museau. Comme si elle était du genre à se laisser attraper par n'importe qui ! D'une mine dédaigneuse, elle réintègre sa Poké Ball.

— On n'a plus qu'à y aller, déclare Sacha en éclatant de rire. Arène de Maillard, nous voilà !

Fin

La Vipélierre de Sacha

Type :

Plante

Attaque préférée :

Attraction

Aussi forte au combat qu'exigeante dans le choix de son Dresseur, Vipélierre a longtemps refusé de se laisser capturer par Sacha... jusqu'à ce qu'elle réalise qu'il était le Dresseur aimant et attentionné dont elle avait besoin. Et grâce à son attaque Attraction qui fait fondre tous ses adversaires, sa nouvelle équipe ne risque pas d'être déçue !

Le voyage de Sacha
est loin d'être terminé !
Retrouve le Dresseur
dans le prochain tome :

Le secret
des Darumond

Sur le chemin de l'Arène
de Maillard, Pikachu se
fait voler son déjeuner.
Qui peut bien avoir fait
une chose pareille,
et surtout : pourquoi ?
C'est ce que Sacha et
ses amis vont tenter de
découvrir en se lançant
à la poursuite de deux
mystérieux Pokémon :
des Darumarond qui
semblent cacher
quelque chose...

Pour en savoir plus, fonce sur le site
www.bibliotheque-verte.con

As-tu lu les autres histoires de Sacha et Pikachu ?

Le problème de Pikachu

Un mystérieux Pokémon

Le combat de Sacha

Tu as toujours rêvé de devenir
un Dresseur Pokémon ?
Tu as de la chance :
grâce à cette nouvelle histoire,
tu vas pouvoir faire tes preuves.
Tu es prêt ? Cette fois-ci
c'est à *ton tour* de tous les attraper

TABLE

hachette s'engage pour l'environnement en réduisant l'empreinte carbone de ses livres. Celle de cet exemplaire est de :

250 g éq. CO$_2$

Rendez-vous sur www.hachette-durable.fr

PAPIER À BASE DE FIBRES CERTIFIÉES

Photogravure Nord Compo - Villeneuve d'Ascq

Imprimé en Espagne par CAYFOSA
Dépôt légal : mars 2013
Achevé d'imprimer : mai 2013
20.3606.9/02 – ISBN 978-2-01-203606-2
*Loi n° 49956 du 16 juillet 1949
sur les publications destinées à la jeunesse*